LA PREMIÈRE PARTIE DE HOCKEY DE RONDELLE

UNE HISTOIRE DE LORNA SCHULTZ NICHOLSON
TRADUITE EN FRANÇAIS PAR JEAN-ROBERT SAUCYER
ILLUSTRÉE PAR KELLY FINDLEY

L'arbitre leva la main et siffla. Le moment était venu d'entamer la partie! Rondelle avait du mal à croire que le grand jour était enfin arrivé. Ses amis et lui s'étaient entraînés à la patinoire de la paroisse pendant plusieurs semaines, mais en ce jour, ils disputaient une véritable partie dans un véritable aréna contre une vraie équipe.

Rondelle fit un large sourire à l'intention de ses coéquipiers alors qu'ils prenaient leur position respective. Roly était devant le but. Sarah et Manny étaient à la défense. Rondelle se trouvait au milieu du trio d'attaque entre François et Charlie. À l'autre extrémité de la patinoire, les Rockets prenaient eux aussi leurs positions.

Rondelle retint son souffle au moment où l'arbitre laissa tomber la rondelle. La partie venait de commencer!

Rondelle remporta la mise en jeu et tenta de faire une passe à François qui était un joueur robuste pour son âge. Il était puissant et pouvait tenir à sa merci pratiquement tous les autres joueurs. Mais la rondelle lui échappa et atterrit sur le bâton d'un joueur de l'équipe adverse. Par chance, Manny l'orignal était un défenseur habile. Il fit pivoter sa luge afin de freiner l'attaque du raton laveur agile.

« Tu ne passeras pas! », lança-t-il d'une voix forte.

Il avait raison. Il s'empara de la rondelle et relança l'attaque en passant la rondelle à Sarah. Faisant quelques pas croisés qu'elle avait appris à maîtriser, elle se rendit derrière le filet et s'immobilisa. Elle observa la patinoire pour voir où chacun se trouvait. Il lui fallait se mettre en position de compter, et vite!

Rondelle filait à toute vitesse au centre de la patinoire, suivi de près par François, son ailier. Sarah vit là une occasion à saisir. Elle frappa la rondelle en direction de François qui fit une passe rapide à Rondelle. Rondelle voulut passer la rondelle à Charlie, mais ce dernier zigzaguait et tourbillonnait sur la glace tant il avait du mal à rester en équilibre sur ses pattes.

« Charlie, prépare-toi! », cria Rondelle à son ami.

Mais avant que Rondelle puisse faire sa passe, un joueur des Rockets lui enleva la rondelle.

Rondelle changea vite de direction et se lança à sa poursuite, mais il était trop tard.

Les Rockets maniaient la rondelle à leur guise. Lorsque leur joueur de centre franchit la ligne bleue, il décocha un puissant tir frappé. La rondelle glissa sous le gant de Roly et entra dans le filet. Tous étaient déçus, en particulier Charlie.

« Ne t'en fais pas! », lui lança Sarah en lui tapotant le dos alors qu'elle patinait à ses côtés. « Nous nous reprendrons! »

Rondelle souriait au moment où il pénétra de nouveau à l'intérieur du cercle réservé à la mise en jeu. Les choses se déroulaient encore mieux que ce qu'il avait imaginé. Ses amis étaient à ses côtés, la foule était en liesse, et il prenait part à une véritable partie de hockey. Il ne se souciait même pas du fait que l'équipe adverse avait un but d'avance.

Rondelle remporta de nouveau la mise en jeu et fit une passe à François qui patina avec vigueur vers le but et tira entre les jambières du gardien. La lumière rouge s'alluma et Rondelle et ses amis se tapèrent les mains les unes contre les autres.

Mais les réjouissances furent de courte durée. Lors du jeu suivant, les Rockets marquèrent un autre but.

« Ne t'en fais pas! », lança Sarah en patinant en direction de Roly tout penaud. « Nous allons nous reprendre. »

Rondelle était déterminé à créer l'égalité. Il renvoya la rondelle à Sarah. Elle franchit précipitamment la ligne bleue et cria : « Protégez-moi! »

Rondelle observait avec enthousiasme Sarah qui tournoyait habilement autour du défenseur des Rockets et qui, soudain, effectua un tir qui aboutit dans le filet de l'équipe adverse.

À la fin de la première période, la marque était égale deux à deux. Rondelle rassembla son équipe au banc des joueurs pour une séance de motivation. « Nous sommes en pleine forme! », dit-il avant d'avaler de longues gorgées d'eau. Sarah acquiesça d'un signe de tête.

« Ouf », haleta François en épongeant les gouttes de sueur de son visage. « Je suis épuisé. »

Debout sur la glace, Roly s'étirait doucement afin de se dégourdir. Les amateurs s'exclamaient devant la facilité avec laquelle il touchait ses orteils.

À l'extrémité du banc, Charlie baissait la tête. « Je n'ai pas encore touché la rondelle », dit-il. Sa voix était faible et hésitante.

Lorsque l'arbitre laissa tomber la rondelle au début de la période suivante, Rondelle la frappa en direction de Charlie. Il était ravi que la rondelle aille se ficher dans sa queue touffue. Charlie se mit à tourbillonner. Il tournait encore sur lui-même au moment où un adversaire s'empara de la rondelle et marqua un but.

« Ne t'inquiète pas! », dit Sarah en riant. « Nous allons marquer à notre tour. »

Lors du jeu suivant, François avait la rondelle. Rondelle patina avec vigueur en direction du but adverse. François vit alors qu'il était seul. Pendant que la rondelle était sur le bout de son bâton et que les défenseurs fonçaient sur lui à

toute allure, Rondelle se demanda ce qu'il devait faire. Tirer la rondelle vers le but ou feinter?

Au moment où le gardien des Rockets quitta son enceinte du but, Rondelle décida de la suite des choses. Il feinta à gauche et tira du revers en direction de la partie supérieure du filet.

« Chouette! », dit Sarah en faisant un câlin à Rondelle.

« Quel but magnifique! », dit Manny.

« J'aimerais pouvoir en faire autant », dit Charlie.

À la fin de la deuxième période, la marque était de quatre à quatre. Les Rockets avaient encore marqué, mais nos amis avaient créé l'égalité grâce au puissant tir frappé de Manny de la ligne bleue.

« Tous ont marqué, sauf moi », dit Charlie.

« Et moi! », d'ajouter Roly.

François plaqua Roly avec la hanche et lui dit d'un ton rieur: « Tu ne marques pas de but puisque tu es le gardien. »

« Mais je veux compter moi aussi! », dit Charlie en secouant la tête. « Je deviens si nerveux devant la foule qui nous regarde. »

Sarah tapota le dos de Charlie. « Oublie la présence de la foule », dit-elle.

« Agis comme si nous étions à l'entraînement », conseilla Manny.

« Ouais, à l'entraînement tu marques toujours des buts contre moi », dit Roly.

La sirène retentit afin de marquer le début de la troisième période et tous les joueurs retournèrent sur la glace.

La troisième période se déroula sans qu'un seul but ne soit compté jusqu'à ce que, trois minutes avant la fin, les Rockets envoient la rondelle dans le filet de nos amis. Roly s'effondra sur la glace et se couvrit le visage de sa mitaine.

« T'en fais pas, Roly », lui dit François. « Ce tir au but était difficile à bloquer. »

« Même Roberto Luongo n'aurait pu l'arrêter », dit Rondelle.

« Tu as raison », dit Roly. Il se leva, haussa les épaules et enleva la neige et la glace de ses jambières.

« Nous allons nous rattraper! », lança Charlie de sa voix aiguë.

Lors de la mise en jeu qui suivit, la rondelle a dévié en direction de Charlie. Il prit une profonde inspiration alors qu'il avançait sur la glace, et se rappela ce que lui avaient dit ses coéquipiers. Il faisait comme s'il était à l'entraînement. C'était bien plus facile! Roly était devant le but comme sur la patinoire extérieure. Charlie sourit et patina aussi vite qu'il le put en direction de son ami.

« Tu te diriges dans la mauvaise direction, Charlie! », crièrent-ils tous.

Mais Charlie patinait si vite qu'il ne savait comment s'arrêter.

Sarah et François restèrent figés sur place. Rondelle et Manny se couvrirent les yeux. Pendant une ou deux secondes, nul ne sut quoi faire. Puis, Rondelle eut une idée.

« Charlie! », cria-t-il avec toute la force de ses poumons. « Tourne sur toi-même à la manière de Sidney Crosby! »

Et c'est exactement ce que fit Charlie. Il tourna et tourna en faisant marche arrière, en direction du but des Rockets.

« Lance! », lui cria la foule. « Tire la rondelle! »

Charlie frappa d'un bon coup la rondelle qui fit des vrilles sur la glace. Spectateurs et hockeyeurs eurent les yeux fixés sur la rondelle qui bondissait sur la glace en direction du filet adverse.

Le gardien de but tendit sa mitaine afin de saisir la rondelle au bond, mais elle frappa sa mitaine et atterrit sur la ligne des buts. Elle vacilla sur la ligne pendant une longue seconde avant de basculer à l'intérieur du filet. Au même moment, la sirène retentit indiquant la fin de la partie.

« La rondelle est dans le but », cria Sarah. « Charlie a réussi à créer l'égalité! »

Par la suite, l'équipe a célébré dans le vestiaire des joueurs. Chacun était ravi du résultat de leur première partie de hockey. Charlie était le plus heureux de tous.

« J'adore le hockey », dit-il avec un sourire fendu jusqu'aux oreilles. « Mais il me reste tant de choses à apprendre. »

« Nous avons tous des choses à apprendre », lui répondit Rondelle en riant. « Toutes les joueuses d'Équipe Canada comme Hayley Wickenheiser et Jayna Hefford étaient comme nous lorsqu'elles étaient jeunes. Elles aussi avaient des tas de choses à apprendre. Nous formons une équipe et nous allons tous apprendre ensemble. Voilà ce qui rend le hockey si amusant! »

L'EXPLICATION DE RONDELLE:

Une **feinte** est un mouvement simulé pour tromper l'adversaire ; par exemple, lorsqu'un joueur simule un coup droit, ramène la rondelle sur le revers de la lame de son bâton et tire. Un joueur peut aussi placer la rondelle sur le revers de la lame de son bâton, simuler un tir, ramener la rondelle du coup droit et tirer au but.

Bonne chance!

1. Chaque membre d'une équipe a son importance.
2. Encourage toujours tes coéquipiers en leur adressant des commentaires positifs.
3. Ne renonce jamais et joue toujours au meilleur de tes capacités.